roman rouge

Dominique et compagnie

Sous la direction de
Agnès Huguet

Hélène Vachon

Série Somerset
Mon ami Godefroy

Illustrations
Yayo

**Catalogage avant publication de
Bibliothèque et Archives Canada**

Vachon, Hélène, 1947-
Mon ami Godefroy
(Roman rouge ; 31)
Éd. Originale : Saint-Lambert,
Québec : Éditions Héritage, 1996.
Publ. à l'origine dans les coll. :
Héritage jeunesse ; et, Carrousel.
Mini-roman.
Pour enfants.

ISBN 2-89512-461-2
I. Yayo. II. Titre.

PS8593.A37M66 2005 jC843'.54 C2004-941957-9
PS9593.A37M66 2005

Dépôts légaux : 1er trimestre 2005
Bibliothèque nationale du Québec
Bibliothèque nationale du Canada
Bibliothèque nationale de France

ISBN 2-89512-461-2
Imprimé au Canada

10 9 8 7 6 5 4 3 2 1

Direction de la collection :
Agnès Huguet
Graphisme : Primeau & Barey
Révision-correction :
Marie-Thérèse Duval et
Céline Vangheluwe

Dominique et compagnie
300, rue Arran
Saint-Lambert (Québec) J4R 1K5
Téléphone : (514) 875-0327
Télécopieur : (450) 672-5448
Courriel :
dominiqueetcie@editionsheritage.com
Site Internet :
www.dominiqueetcompagnie.com

Nous remercions le Conseil des Arts du
Canada de l'aide accordée à notre programme de publication. Nous reconnaissons l'aide financière du gouvernement du
Canada par l'entremise du Programme
d'aide au développement de l'industrie de
l'édition (PADIÉ) pour nos activités d'édition.

Nous reconnaissons l'aide financière du
gouvernement du Québec par l'entremise
du Programme de crédit d'impôt pour l'édition de livres – SODEC – et du Programme
d'aide aux entreprises du livre et de
l'édition spécialisée.

Se faire un ami, des fois, c'est la chose la plus compliquée du monde ! Même mon père est d'accord sur ce point :

– Une grande amitié, Somerset, c'est rare, dit-il.

J'en étais sûr !

– Et ça n'arrive pas comme ça, ajoute mon père.

– Non ?

– Non. D'abord, il faut qu'il y ait des affinités entre deux personnes.

– Des quoi ?

– Des goûts semblables, si tu préfères.

– Ah oui !

– Ensuite, il faut du temps.

– Combien ?

Mon père hausse les épaules.

– Difficile à dire. Il faut laisser venir les choses, comprends-tu ? Il faut laisser à l'amitié le temps de naître, de grandir...

– D'accord.

– Être patient...

– Oui.

– Ne rien précipiter...

– Non.

– Attendre...

– Bon. (m)

Sauf qu'elle prend drôlement son temps, la grande amitié. Ça fait déjà une semaine que j'attends et rien ne se passe. Deux semaines plus tard, j'attends toujours, avec un brin d'impatience. À la fin de la quatrième semaine, c'est fini, je n'attends plus.

Trop long. Beaucoup trop long.

Le temps passe et l'année scolaire s'achève. Godefroy va en profiter pour disparaître. C'est sûr.

Il s'appelle Godefroy.

C'est un vieux prénom et ça n'arrange pas du tout les choses. Comment attirer l'attention de quelqu'un qui s'appelle Go-de-froy ?

rire (smile)

Je multiplie les tentatives.

Je fais le clown en classe. Tout le monde <u>rit</u>, mais pas Godefroy.

Dans les <u>corridors</u>, je lui barre la route. Il ne me voit même pas. Il poursuit son chemin et me contourne, comme si j'étais une vulgaire borne d'incendie.

Je joue le tout pour le tout et je décroche 7 sur 10 en mathématiques. Génial ! Vous vous rendez compte ? D'habitude, pour moi, les mathématiques, c'est du chinois. Dans la classe, c'est le délire. Monsieur Tsai-Tsao-Tseu, le professeur, est tout simplement renversé et tombe en bas de sa chaise. Godefroy, lui, continue à se ronger un ongle et regarde ailleurs, l'air distrait.

Pas liant, liant, le Godefroy. Un vrai château fort, ma parole !

Et les affinités, dans tout ça ?

Comment avoir des affinités avec un château fort ? Surtout un château fort que je ne connais pas ?

Il n'y a qu'un seul moyen de le connaître : j'ouvre le grand dictionnaire des noms propres et je pars à la recherche de Godefroy.

Il y a sept Godefroy, en tout.

Celui que je préfère, c'est celui qui a passé sa vie à faire des croisades sur son cheval. Une croisade, c'est une grande randonnée à cheval dans la campagne. On en faisait beaucoup dans l'ancien temps. Toujours pour les mêmes raisons : délivrer un lieu saint et en rapporter un objet précieux, un vase, par exemple.

Ça me donne une idée : si l'ancien Godefroy aimait les chevaux tant que ça, le nouveau doit bien aimer les bicyclettes. Non ?

– Une promenade à bicyclette avec Godefroy? dit mon père. Excellente idée, Somerset.

– Tu crois?

– Bien sûr. Et je suppose qu'une simple balade à vélo ne devrait pas poser... de problème particulier, n'est-ce pas, Somerset?

—Je suppose que non.

Je sors ma bicyclette de la remise. Je la nettoie, je la frotte pour qu'elle brille. Je lui parle et elle répond. C'est ce qui est bien avec ma bicyclette : elle répond toujours.

Ensuite, j'invite Godefroy. Il me regarde pensivement pendant au moins une demi-minute et finit par hocher la tête. Ça doit vouloir dire oui. Si j'avais su, je l'aurais invité bien avant.

Le grand Jour arrive. Le grand Jour de la Grande Amitié.

Le soleil brille. Ma bicyclette aussi. Je passe chez Godefroy. Il habite une grande maison en pierre, entourée d'une palissade. Sur le devant, il y a deux tourelles avec deux pignons au-dessus.

Nous partons ensemble. On ne parle pas. Les mots se bousculent tellement pour sortir qu'ils restent tous coincés dans ma gorge.

On arrive en haut de la grande côte. Celle qui est aussi à pic qu'une montagne. J'ai le vertige. Très loin, en bas, il y a un gros édifice jaune qui ressemble comme deux gouttes d'eau à une forteresse. Je passe devant Godefroy et je commence à descendre.

Ça descend vite, très vite.

Tout à coup, je suis heureux. Il fait beau. Je suis sur mon vélo, avec Godefroy derrière. J'ouvre les yeux tout grands. La bouche aussi. Je ris aux éclats.

Et c'est là que mes ennuis commencent.

Un moustique m'arrive en plein dans l'œil. Pendant une seconde, je ne vois plus rien. Rien que des petites pattes noires qui s'agitent devant mon œil. Comme sur un écran de cinéma, quand le film est trop vieux.

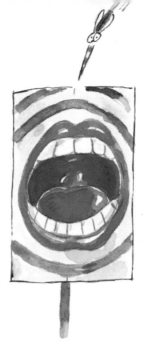

Je lâche le guidon et je me frotte l'œil. Le vélo se met à aller tout de travers. Je tente de le redresser. Malheur ! Un nid-de-poule, là, devant moi. Je tourne le guidon d'un coup sec et je fais : « Aaaaah ! »

Cette fois, c'est un taon. En plein dans la bouche. C'est normal, elle est toujours ouverte.

Que faire ?

Bzzzzzz ! fait le taon, indigné. Il y a de quoi ! J'ouvre la bouche pour qu'il comprenne qu'il est de trop. Rien ne se passe. Le taon bourdonne toujours à l'intérieur, incapable de trouver la sortie. Alors je crache. Pas assez fort ! Ma salive me retombe en plein sur le nez. Et le taon qui s'agrippe. Bzzzzzzz !

Bon. Du calme, Somerset.

Deuxième tentative : je fais le plein de salive.

Dans ma bouche, c'est le déluge. Il y a de drôles de bruits, à présent.

Bzzzzz ! Puis : Bluuuup ! Le taon est en train de se noyer, c'est sûr.

Vite, Somerset !

Cette fois, je ne veux pas courir de risque : je tourne la tête de côté et je crache encore. Fort, très fort. Juste au moment où Godefroy me double sur la gauche sans crier gare.

Il reçoit tout en pleine figure : le taon, le crachat.

Pendant une fraction de seconde, je vois ses yeux, horrifiés. Je vois le taon, tout mouillé, qui gigote et se démène sur sa joue blême.

Et puis plus rien. Sauf le dos de Godefroy qui continue à descendre devant moi et disparaît en bas de la côte. Jusqu'à la fin des temps. Je suis mort. Ou presque.

Mauvais début pour une grande amitié. Très mauvais début. Mon père essaie de m'encourager :

— Cracher à la figure de quelqu'un, ce n'est pas la fin du monde, Somerset.

— En tout cas, ce n'est pas très chevaleresque.

— Non, j'en conviens. Mais il y a sûrement un moyen de te racheter.

— Ah oui ! Le duel.

Je ne suis pas très enthousiaste.

– Le duel ? Quel duel ? demande mon père, surpris.

Soupir d'impatience. Mon père a la mémoire tellement courte !

– Dans l'ancien temps, tous les gens qui se crachaient à la figure étaient obligés de se battre en duel. Dans un grand champ. Avec

des armes. C'était la règle. À cause de l'honneur, comprends-tu ? Ils appelaient ça « laver un affront dans le sang ».

—Les temps ont changé, Somerset. De nos jours, il y a des moyens plus simples de régler un problème. Présenter ses excuses, par exemple. On appelle ça « être courtois ».

Présenter mes excuses ? À Godefroy ? On ne s'est même pas encore parlé ! Et pour quelle raison ? Pour avoir sauvé un taon de la noyade ? Pour avoir ouvert la bouche ? Si j'ai ouvert la bouche, c'est parce que j'étais heureux. Et si j'étais heureux, c'est parce que j'étais avec Godefroy. Donc, c'est la faute de Godefroy si j'ai craché à la figure de…

« Non, je me dis. C'est impossible. Ça ne peut pas être la faute de Godefroy. »

À qui la faute alors ? La faute du taon ?

Oui. Je préfère. La faute du taon.

Parce que ça, c'est facile à régler. Rien de plus simple : je peux fabriquer un pare-moustiques.

Un pare-moustiques, c'est une sorte d'armure pour le visage.

Je me précipite chez ma tante Eta, l'une des huit sœurs de mon père. Elle habite une vieille maison et tout ce qu'il y a dedans est vieux. Donc, je fouille dans la vieille armoire de la vieille cuisine de ma tante Eta, et je trouve une vieille passoire. Assez grande pour recouvrir mon visage. Comment la faire tenir en place, à présent ? Ah oui ! Avec un gros élastique. Je retourne chez moi et j'emprunte les

bretelles de mon père. J'attache les bretelles à la passoire que je fixe ensuite sur mon visage. Je me regarde dans le miroir.

Pas mal.

En face de moi, une grosse tête me contemple, une grosse tête métallique et toute grillagée, avec une grande tige qui monte vers le ciel.

Le manche !

Ça ne va pas. Avec le manche par en haut, j'ai l'air d'un grand point d'exclamation. Essayons autre chose. Par en bas ? Ça ne va pas

non plus. Le bout du manche me rentre dans l'abdomen et ça pique. De côté? Peut-être. Je pourrais m'en servir pour signaler aux automobilistes que je tourne à droite ou à gauche. Je fixe le manche du côté gauche et j'attache un petit foulard rouge au bout.

Je me regarde de nouveau dans le miroir. Bien. Très bien.

À partir de maintenant, gare à vous, les moustiques !

Je sors faire un essai.

J'arrive en haut de la grande côte. Je prends mon élan et je me laisse descendre. Je suis de nouveau heureux. Je sens le vent sur mes épaules et sur mes jambes. Sur mon visage, je ne sens rien du tout. J'ouvre les yeux tout grands. Et la bouche. Rien. Je croise quatre taons, trois abeilles et douze moustiques. Rien. Personne n'ose entrer. Ils s'écartent même pour me laisser

passer. On dirait
qu'ils ont peur. Et je
passe sans encom-
bre. ÇA MARCHE !
Je suis encore plus
heureux. Je suis sur
mon vélo. Il fait beau.

Tout à coup,
j'aperçois Godefroy
devant moi. Sur son
vélo, lui aussi. Je
me dis : « Voilà ta
chance, Somerset. C'est le moment
ou jamais de te racheter et de laver
l'affront. »

Je pédale encore plus vite et
j'arrive à côté de lui :

— Salut, Godefroy !

Il sursaute et tourne la tête vers
moi. Ses yeux s'agrandissent de

terreur. Il ouvre la bouche et fait
« Aaaaaahh ! » Un taon s'engouffre
dedans. Godefroy perd complète-
ment les pédales. Son vélo se met
à aller tout de travers et va percuter
une boîte aux lettres.

– Somerset, dit mon père, une
jambe cassée, ce n'est pas la fin
du monde.

Pour moi, c'est la fin du monde.

– En tout cas, c'est la fin de la Grande Amitié, je dis.

Mon père soupire.

– Tu pourrais peut-être oublier Godefroy…, suggère-t-il.

Oublier Godefroy ? Quelle idée !

– Pour un temps seulement, précise mon père.

– Le laisser tout seul ? Dans la forteresse ?

– C'est un hôpital, Somerset, pas une forteresse.

Hôpital ! Forteresse ! Quelle différence ? Il y a toute une armée de bonshommes blancs là-dedans, qui courent de tous les côtés à la fois. Godefroy ne court plus, lui. Il est

étendu dans son lit, une jambe sus-
pendue en l'air. Équipé comme il
l'est, pas de danger qu'il me pro-
voque en duel. C'est au moins ça.

Mais pas question de le laisser
là.

Je ne renonce pas. Je ne renonce
jamais.

Je fabrique un second pare-
moustiques. Pour Godefroy. Mais
au lieu d'une seule passoire, j'en
mets deux. Celle de ma tante
Gamma et celle de ma tante Dzêta.

Pour protéger la tête et le visage.
Comme un heaume. Avec de vieux
bouts de bois ficelés et collés ensemble, je fabrique deux béquilles.
Sur le bout, j'enroule deux serviet-
tes, pour que ce soit bien doux
pour le dessous des bras.

Et un beau matin, je pars.

En Croisade. Comme un Chevalier.

J'ai rempli de nourriture le heaume

40

de Godefroy et j'ai attaché ensemble les deux béquilles. Je revêts mon grand poncho blanc et mon pare-moustiques. L'essentiel est de passer inaperçu. Je glisse mon épée de bois dans ma ceinture et j'empoigne les béquilles dans ma main gauche, comme une lance.

À présent, je suis prêt.

J'abaisse mon pare-moustiques et j'enfourche ma bicyclette.

Direction : la Grande Forteresse Jaune.

Tiens bon, Godefroy ! J'arrive.

Dans la même collection

Achevé d'imprimer en février 2005
sur les presses de Imprimerie L'Empreinte inc.
à Ville Saint-Laurent (Québec)